Εικόνα εξωφύλλου

Ένοπλη Αμαζόνα με Έλληνα πολεμιστή
(αντίγραφο αναγλύφου από την ασπίδα αγάλματος της
Αθηνάς Παρθένου, 2ος αι. μ.Χ.)
Αρχ. Μουσείο Πειραιά

Μυθολογία σε Απλά Ελληνικά
Mythology in Easy Greek

ΜΥΘΟΙ

Μαρία Αρώνη

MYTHI

3º ΕΠΙΠΕΔΟ

εκδόσεις δέλτος

Τίτλος: ΜΥΘΟΙ

Συγγραφέας: Μαρία Αρώνη

ISBN 978-960-7914-17-0

© Copyright Ε. Αρβανιτάκη & Σία Ο.Ε.

Πρώτη Έκδοση: Ιανουάριος 2002

3η Ανατύπωση: Ιούνιος 2018

Επιμέλεια έκδοσης: Φρόσω Αρβανιτάκη

Εξώφυλλο: Artware Communications

Σελιδοποίηση: Ελένη Σγόντζου

Εκτύπωση και βιβλιοδεσία: Φωτόλιο Α.Ε.

Εκδόσεις ΔΕΛΤΟΣ, Πλαστήρα 69, 17121 Νέα Σμύρνη, Ελλάς

DELTOS Publishing, 69 Plastira St., 17121 Nea Smyrni, GR

tel: +30210 9322393   e-mail: info@deltos.gr   www.deltos.gr

Ο εκδότης ευχαριστεί θερμά τον Γιάννη Κατσαούνη για τη μετάφραση του λεξιλογίου στα γερμανικά.

ΠΕΡΙΕΧΟΜΕΝΑ

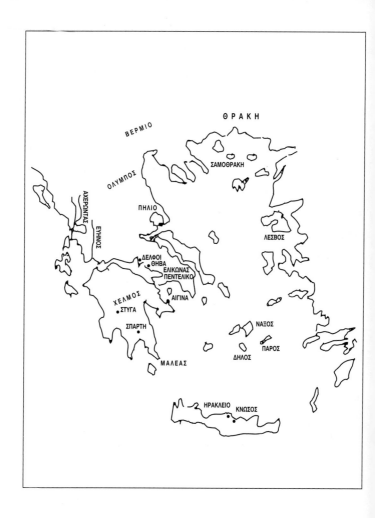

ΘΡΑΚΗ

ΒΕΡΜΙΟ

ΟΛΥΜΠΟΣ

ΣΑΜΟΘΡΑΚΗ

ΑΧΕΡΟΝΤΑΣ

ΕΥΗΝΟΣ

ΠΗΛΙΟ

ΛΕΣΒΟΣ

ΔΕΛΦΟΙ
ΘΗΒΑ
ΕΛΙΚΩΝΑΣ
ΠΕΝΤΕΛΙΚΟ

ΑΙΓΙΝΑ

ΧΕΛΜΟΣ
ΣΤΥΓΑ

ΝΑΞΟΣ

ΣΠΑΡΤΗ

ΠΑΡΟΣ

ΔΗΛΟΣ

ΜΑΛΕΑΣ

ΗΡΑΚΛΕΙΟ
ΚΝΩΣΟΣ

Χάρτης της Ελλάδας
με ονόματα τόπων που συναντάμε στη Μυθολογία

Χάρτης της Ελλάδας και της Μικράς Ασίας
με ονόματα τόπων που συναντάμε στη Μυθολογία

Ο Περσέας κρατάει το κεφάλι της Μέδουσας

Εκείνο τον καιρό στη γη υπήρχαν γίγαντες.

Γένεσις, Κεφάλαιο 6

Λένε ότι «οι μύθοι είναι αυτά που δεν έγιναν ποτέ αλλά υπήρχαν από πάντα». Είναι όμως έτσι;

Πολλοί πιστεύουν πως οι μύθοι δεν μπορεί να είναι μόνο φαντασία. Ίσως αρκετά από αυτά για τα οποία μιλάνε υπήρχαν ή έγιναν στα πολύ παλιά χρόνια. Μπορεί να είναι κι έτσι. Ποιος ξέρει;

Η αρχαία ελληνική μυθολογία είναι ιστορίες που βγαίνουν μέσα από αυτά που έγραψαν οι μεγάλοι αρχαίοι έλληνες ποιητές Όμηρος, Ησίοδος, Πίνδαρος, Αισχύλος, Ευριπίδης, Σοφοκλής και Αριστοφάνης καθώς και οι Λατίνοι Οβίδιος και Βιργίλιος.

Είναι αυτά που άκουσαν οι ποιητές από άλλους και εκείνοι, πάλι, από άλλους; Είναι δικές τους ιδέες για ό,τι είναι ωραίο, μεγάλο, σημαντικό για τον άνθρωπο; Μάλλον και τα δύο. Το σίγουρο είναι ότι μας τα έδωσαν με πολλή φαντασία και πολύ ωραίο τρόπο.

ΟΡΦΕΑΣ ΚΑΙ ΕΥΡΙΔΙΚΗ

Ο Ορφέας ήταν γιος της Μούσας Καλλιόπης και του θεού της μουσικής Απόλλωνα. Ήταν ένας πολύ καλός **τραγουδιστής** και πολύ καλός μουσικός.

Όταν έπαιζε τη **λύρα** του, ακόμα και οι πέτρες χόρευαν. Ο Ορφέας δεν ήταν γνωστός και αγαπητός μόνο για τη μουσική του, αλλά και για το **θάρρος** του. Ήταν από τους λίγους που πήγαν στον Άδη, δηλαδή τον κόσμο των **νεκρών** ή αλλιώς τον Κάτω Κόσμο, και ξαναγύρισαν. Στην ελληνική μυθολογία, ο Ηρακλής και ο Θησέας ήταν οι άλλοι δύο ήρωες που έκαναν αυτό το ταξίδι και μπόρεσαν να γυρίσουν πίσω.

Ο Ορφέας ήταν παντρεμένος με την Ευρυδίκη. Μία μέρα τη **δάγκωσε** ένα **φίδι** και πέθανε. Ο Ορφέας την αγαπούσε πάρα πολύ και την ήθελε πίσω. Πήγε λοιπόν στην Ήπειρο, σ' ένα πολύ άγριο και σκοτεινό μέρος όπου υπήρχε ο ποταμός Αχέροντας, εκεί που ήταν η είσοδος του Άδη για να φέρει πίσω στη ζωή την αγαπημένη του. Βέβαια, για τον θάνατο και τη ζωή των ανθρώπων δεν αποφάσιζαν οι άνθρωποι αλλά οι θεοί.

Το ταξίδι του στον Άδη ήταν ένα **ασυνήθιστο** ταξίδι. Τα λυπημένα τραγούδια του ερωτευμένου Ορφέα ήταν τόσο ωραία, ώστε τα τρομερά **τέρατα** του Κάτω Κόσμου που **φύλαγαν** την είσοδό του τον άφησαν να περάσει - αν και ζωντανός. Η **περιπέτεια** όμως δεν τελείωσε εδώ. Σύμφωνα με τον μύθο, ο Άδης και η Περσεφόνη, οι θεοί του Κάτω Κόσμου, αποφάσισαν ότι η Ευρυδίκη θα γύριζε στον κόσμο των **ζωντανών**, μόνο αν ο Ορφέας δεν έβλεπε τα μάτια της όσο ακόμα ήταν ανάμεσα στους νεκρούς. Καθώς πήγαιναν στην έξοδο όμως, ο Ορφέας γύρισε να δει τη γυναίκα του και τότε η Ευρυδίκη έφυγε για πάντα.

Ο Ορφέας γύρισε πίσω στη γη πολύ στενοχωρημένος και λυπημένος αλλά συνέχισε να παίζει μουσική. Όταν πέθανε, η λύρα του έφτασε στο νησί Λέσβος, δηλαδή στη Μυτιλήνη, και η ψυχή του πήγε στα Ηλύσια Πεδία, ένα νησί στην άκρη της γης, όπου πήγαιναν μόνο οι **εκλεκτοί**.

ΚΑΔΜΟΣ ΚΑΙ ΑΡΜΟΝΙΑ

Ο Κάδμος, ήταν γιος του βασιλιά της Σιδώνας - στον σημερινό Λίβανο - και αδερφός της Ευρώπης. Νέος, ωραίος, έξυπνος και πολύ καλός μουσικός: είχε δάσκαλο τον ίδιο τον θεό Απόλλωνα.

Η Αρμονία ήταν η όμορφη θεά που γεννήθηκε από τον **έρωτα** του Άρη και της Αφροδίτης. Η θεά του έρωτα Αφροδίτη και ο θεός του πολέμου Άρης κοιμήθηκαν μαζί **κρυφά** από τον θεό Ήφαιστο, τον άντρα της Αφροδίτης. Έτσι, γεννήθηκε η Αρμονία με τα ξανθά μαλλιά, που ήταν τόσο όμορφη, όσο και η Αφροδίτη. Η όμορφη θεά **μεγάλωσε** με την Ηλέκτρα, τη βασίλισσα της Σαμοθράκης, μια ακόμη γυναίκα του Δία. Η νέα κοπέλα αγαπούσε το νησί και τους ανθρώπους του και ζούσε ευτυχισμένη.

Μια μέρα ο Κάδμος πήρε τη **φλογέρα** του και έφυγε από τη Σιδώνα για να πάει να βρει την αδερφή του, την ωραία Ευρώπη, που είχε πάρει ο Δίας. Ψάχνοντας, έφτασε στα βουνά της Κιλικίας, στη σημερινή Τουρκία. Εκεί, χωρίς να το ξέρει, **έσωσε** θεούς και ανθρώπους όταν βοήθησε τον Δία σε μια πολύ δύσκολη στιγμή. Ο Τυφώνας, ένας φοβερός γίγαντας που ζήλευε τον Δία και ήθελε αυτός να γίνει **άρχοντας** του κόσμου, του πήρε τον κεραυνό και τον έκλεισε σε μια **σπηλιά**.

Κοντά σ' εκείνη τη σπηλιά ήταν ο Κάδμος, που έπαιζε μουσική με τη φλογέρα του. Ο Τυφώνας, που για πρώτη φορά άκουγε μουσική, βγήκε έξω από τη σπηλιά για να ακούσει καλύτερα. Για λίγη ώρα, ξέχασε τα πάντα. Τότε ο Δίας πήρε πίσω τον κεραυνό κι έφυγε. Όταν ο γίγαντας γύρισε στη σπηλιά, δεν ήταν κανείς εκεί. Ο Δίας έγινε **ταύ-**

ρος και πήγε μπροστά στον Κάδμο. Τον ευχαρίστησε και του είπε πως στη Σαμοθράκη ήταν η Αρμονία και πως αυτή η θεά θα ήταν η γυναίκα του. Έτσι, ο Κάδμος ψάχνοντας την Ευρώπη βρήκε την Αρμονία.

Για τον γάμο του Κάδμου και της Αρμονίας, που έγινε στη Θήβα, εκεί όπου σήμερα βρίσκεται η αγορά της πόλης, κατέβηκαν όλοι οι θεοί από τον Όλυμπο και τραγούδησαν οι Μούσες. Όπως λέει ο Πίνδαρος, ήταν μεγάλη γιορτή, γιατί πολύ σπάνια οι θεοί παντρεύονται με ανθρώπους. Τέσσερις κόρες και δύο γιους έκαναν μαζί. Μία από τις κόρες τους ήταν η Σεμέλη, η μητέρα του θεού Διόνυσου.

ΦΡΙΞΟΣ ΚΑΙ ΕΛΛΗ

Ο **σγουρομάλλης** Φρίξος και η **μικροκαμωμένη** Έλλη ήταν παιδιά του βασιλιά της Βοιωτίας Αθάμαντα και της θεάς Νεφέλης. Ο βασιλιάς όμως άφησε τη Νεφέλη και παντρεύτηκε μια κόρη του Κάδμου, την Ινώ, με την οποία δεν είχε παιδιά. Η Νεφέλη πήγε να ζήσει στον ουρανό, και η Ινώ έμεινε στη γη με τα παιδιά του Αθάμαντα. Όμως ούτε η μία ήταν ευχαριστημένη ούτε η άλλη.

Η Νεφέλη, επειδή ζήλευε, σταμάτησε τα σύννεφα και τη βροχή και έτσι η γη ήταν **ξερή** και δεν έβγαζε τίποτα. Τα δέντρα και τα φυτά πέθαιναν. Οι άνθρωποι άρχισαν να πεινούν και ο βασιλιάς έστειλε κάποιον στους Δελφούς, στο **μαντείο** του Απόλλωνα, να ζητήσει τη **συμβουλή** της Πυθίας. Τότε η Ινώ είχε μια ιδέα. Ζήτησε από τον άνθρωπο που γύρισε από τους Δελφούς να αλλάξει τα λόγια της Πυθίας. Κανένας δεν έμαθε ποτέ τι είπε η Πυθία για να **λύσει** το πρόβλημα. Αυτό που έμαθε ο βασιλιάς, ήταν ότι έπρεπε να **θυσιάσει** τα παιδιά του. Αυτό ήθελε η Ινώ: να είναι μόνη με τον άντρα της χωρίς τα παιδιά μιας άλλης γυναίκας. Ο βασιλιάς λυπήθηκε πολύ αλλά αποφάσισε πως έπρεπε να θυσιάσει τα παιδιά του για το καλό της χώρας του.

Όταν η Νεφέλη, η μητέρα των παιδιών, έμαθε τα νέα, έστειλε το **χρυσόμαλλο κριάρι** - δώρο της Ήρας - για να βοηθήσει τα παιδιά της, αν και αυτά ήταν έτοιμα για τη **θυσία**. Ο Φρίξος και η Έλλη ανέβηκαν πάνω στο ζώο και πέταξαν μαζί του για τη μακρινή Κολχίδα, στα **παράλια** του Εύξεινου Πόντου, εκεί που σήμερα βρίσκεται η Γεωργία.

Στο ταξίδι όμως, στο κομμάτι της θάλασσας που χωρίζει την Ευρώπη από την Μικρά Ασία, κατά λάθος, η Έλλη έπεσε από το κριάρι. Κανείς ποτέ δεν είδε ξανά τη μικρή Έλλη. Την πήρε η θάλασσα για πάντα. Από τότε τη θάλασσα αυτή τη λένε "Ελλήσποντο", που σημαίνει "θάλασσα της Έλλης".

Το αγόρι συνέχισε το ταξίδι του και έφτασε στην Κολχίδα, όπου τον δέχτηκαν **φιλόξενα**. Εκεί **θυσίασε** το κριάρι στους θεούς για να τους ευχαριστήσει που έφτασε καλά. Το δέρμα του ζώου το έδωσε στον **άρχοντα** της χώρας, δώρο για τη **φιλοξενία**. Ο Φρίξος παντρεύτηκε, έκανε τέσσερις γιους και έζησε πολλά χρόνια. Ένας από τους γιους του, ο Άργος, έφτιαξε το πλοίο με το οποίο ταξίδεψαν οι Αργοναύτες.

Αργότερα, ο ήρωας Ιάσονας ήρθε με τους Αργοναύτες στην Κολχίδα, μετά από πολλές περιπέτειες, για να πάρει πίσω το δέρμα του χρυσόμαλλου κριαριού.

ΛΗΤΩ ΚΑΙ ΝΙΟΒΗ

Μια από τις κόρες του Τιτάνα Κοίου και της Φοίβης ήταν η Λητώ. Η θεά Λητώ περίμενε παιδί από τον Δία αλλά καμία πόλη και κανένα νησί δεν ήθελε να την **φιλοξενήσει**. Κι αυτό γιατί η θεά Ήρα ήταν πολύ θυμωμένη. Και όταν η Ήρα ήταν θυμωμένη, κανείς δεν ήθελε να είναι απέναντί της.

Μόνο το νησί Δήλος βοήθησε τη θεά. Μέχρι τότε, το νησί ταξίδευε στα νερά και η θέση του δεν ήταν **σταθερή**. Με τη βοήθεια του Ποσειδώνα όμως σταμάτησε σε ένα μέρος για να φιλοξενήσει τη Λητώ. Μετά από εννέα μέρες και εννέα νύχτες, η Λητώ γέννησε **δίδυμα**: τον Απόλλωνα, τον θεό του ήλιου και της μουσικής, και την Άρτεμη, τη θεά του **δάσους** και του **κυνηγιού**.

Η Λητώ ήταν πολύ καλή μητέρα για τα παιδιά της και ήταν πάντα κοντά τους.

Η Νιόβη ήταν κόρη του βασιλιά της Λυδίας Τάνταλου και είχε αδερφό τον Πέλοπα. Όπως μαθαίνουμε από την ποιήτρια Σαπφώ, η Νιόβη και η Λητώ ήταν πολύ καλές φίλες - όταν ακόμα θεοί και άνθρωποι ζούσαν μαζί.

Η Νιόβη παντρεύτηκε τον Αμφίονα και γέννησε επτά γιους και επτά κόρες. Ζούσε καλά και ήταν ευτυχισμένη με τον άντρα της και τα δεκατέσσερα παιδιά της. Κάποια μέρα είπε ότι ήταν καλύτερη από τη Λητώ γιατί είχε περισσότερα παιδιά από αυτήν. Η Λητώ θύμωσε πάρα πολύ όταν το έμαθε. Έστειλε τον Απόλλωνα να σκοτώσει τα αγόρια και την Άρτεμη να σκοτώσει τα κορίτσια της.

Δυστυχισμένη η Νιόβη πήγε στον πατέρα της στην **οροσειρά** Σίπυλο, στα ανατολικά της Σμύρνης και έκλαψε τόσο πολύ, ώστε οι θεοί την έκαναν **βράχο**, για να μην πονάει άλλο. Ο βράχος αυτός από όπου τρέχει νερό υπάρχει ακόμα και σήμερα. Οι άνθρωποι που μένουν σ' αυτό το μέρος πιστεύουν πως από τα μάτια της μητέρας τρέχουν ακόμα δάκρυα για τα παιδιά που έχασε.

Από τότε που χάλασε η φιλία της Λητώς με τη Νιόβη, άλλαξε και η **σχέση** ανάμεσα στους θεούς και τους ανθρώπους. Μόνο λίγες φορές τους βλέπουμε μαζί, όπως για παράδειγμα, στον γάμο του Κάδμου με την Αρμονία και του Πηλέα με τη Θέτιδα.

ΝΑΡΚΙΣΣΟΣ ΚΑΙ ΗΧΩ

Κορίτσια και αγόρια ήταν ερωτευμένα με τον όμορφο Νάρκισσο. Όμως ο Νάρκισσος δεν ήταν ερωτευμένος με κανέναν. Ήταν δεκαέξι χρονών, ζούσε στον Ελικώνα στην Βοιωτία και του άρεσε να κυνηγάει **ελάφια** στο δάσος.

Η **νύμφη** Ηχώ ήταν κι αυτή πολύ ερωτευμένη με τον Νάρκισσο και ήθελε να του μιλήσει αλλά πώς; Δεν μπορούσε να μιλήσει. Μπορούσε μόνο να ξαναλέει αυτά που έλεγε κάποιος. Αυτή ήταν η **τιμωρία** της από την Ήρα: κάποτε η Ηχώ με τις ιστορίες που έλεγε στη θεά, έκανε την Ήρα, που πάντα ζήλευε τον Δία, να τον χάσει από τα μάτια της ενώ αυτός έπαιζε με τις νύμφες των βουνών. Και φυσικά ο Δίας **διασκέδασε** πολύ με τις όμορφες κοπέλες και η Ήρα ήταν **έξω φρενών**.

Κάποιο ζεστό μεσημέρι η Ηχώ ακολούθησε τον Νάρκισσο **κρυφά,** γεμάτη χαρά και αγωνία. Πήγε πίσω του μέσα στα δέντρα. Ο Νάρκισσος κάτι άκουσε.

Νάρκισσος: Είναι κανείς εδώ;

Ηχώ: Εδώ!

Νάρκισσος: Έλα!

Ηχώ: Έλα!

Νάρκισσος: Πού είσαι;

Ηχώ: Πού είσαι;

Νάρκισσος: Έλα κοντά μου!

Ηχώ: Έλα κοντά μου!

Γεμάτη χαρά η Ηχώ πήγε κοντά στον Νάρκισσο για να τον **αγκαλιάσει**. Όταν εκείνος την είδε, έτρεξε μακριά της.

Νάρκισσος: Όχι, ποτέ εσύ κι εγώ μαζί!

Ηχώ: Μαζί!

Ο Νάρκισσος έφυγε και δεν γύρισε να την **κοιτάξει** ούτε μία φορά. Πήγε σε μια από τις πολλές λίμνες του Ελικώνα, σταμάτησε και **έσκυψε** να πιει λίγο νερό. Καθώς έσκυβε στο νερό της λίμνης, είδε ένα αγόρι που το ερωτεύτηκε αμέσως. Προσπάθησε να το φιλήσει αλλά σε λίγο κατάλαβε πως έβλεπε τον εαυτό του στα νερά της λίμνης. Έμεινε όλη την **υπόλοιπη** μέρα εκεί και για πολλές ακόμα μέρες ούτε ήπιε, ούτε έφαγε τίποτα, όπως κάνουν μερικές φορές οι ερωτευμένοι όταν δεν μπορούν να ζήσουν τον έρωτά τους. Κατάλαβε πόσο δύσκολο είναι ν' αγαπάς και να μη σε αγαπάνε. Έμεινε εκεί ώσπου πέθανε, ακριβώς γιατί δεν μπορούσε να ζήσει τον έρωτά του.

Οι νύμφες έψαξαν να βρουν το σώμα του για να το **θάψουν**. Στη θέση του όμως υπήρχε ένα όμορφο λουλούδι που του έδωσαν το όνομά του: **νάρκισσος**. Το λουλούδι αυτό, που σήμερα το λέμε και **ίριδα**, **ανθίζει** στο τέλος του φθινοπώρου.

ΑΜΠΕΛΟΣ ΚΑΙ ΔΙΟΝΥΣΟΣ

Η πρώτη μεγάλη αγάπη του Διόνυσου ήταν ο Άμπελος, ένα όμορφο και χαρούμενο αγόρι. Έπαιζαν συχνά μαζί, μέσα στο δάσος, κοντά στις **λίμνες** και τα **ποτάμια**, έτρεχαν και **πάλευαν** και **νικητής** ήταν πάντα ο Άμπελος. Ο Άμπελος έπαιζε με όλα τα ζώα του δάσους και όλα τα ζώα ήταν φίλοι του.

Ένα ζεστό μεσημέρι, το αγόρι έπαιζε με έναν μεγάλο μαύρο **ταύρο** με άσπρα **κέρατα**. Γελούσε χαρούμενα και αυτό τράβηξε την προσοχή της Σελήνης, που ζήλεψε το παιχνίδι τους και έστειλε μια **μύγα** στον ταύρο. Το ζώο άρχισε να τρέχει για να **αποφύγει** τη μύγα. Ο Άμπελος που ήταν πάνω στον ταύρο έπεσε κάτω με δύναμη και χτύπησε στο κεφάλι του.

Όταν ήρθε ο Διόνυσος, το σώμα του όμορφου νέου ήταν ακόμη ζεστό πάνω στη γη και τα ζώα έκλαιγαν γύρω του. Ο Διόνυσος λυπήθηκε τόσο, που ήθελε να κλάψει αλλά δεν έκλαψε. Οι θεοί αγαπούν, ζηλεύουν, βοηθούν, **συμβουλεύουν** τους ανθρώπους στη ζωή τους, χαίρονται ή λυπούνται γι' αυτούς, αλλά δεν κλαίνε. Ένας θεός δεν κλαίει ποτέ. Μόνο ο άνθρωπος κλαίει. Ο Διόνυσος πόνεσε όσο ένας θεός κι ένας άνθρωπος μαζί.

Όση ώρα ο Διόνυσος ήταν δίπλα στο σώμα του αγαπημένου φίλου του, έγινε το πρώτο **κλήμα**: τα σγουρά μαλλιά του Άμπελου γέμισαν σταφύλια. Ο Διόνυσος τα πήρε στα δυνατά του χέρια. Ο χυμός τους ήταν το πρώτο κρασί. Ο θεός ήπιε τον γλυκό χυμό και ξαφνικά ήταν λιγότερο λυπημένος. Έτσι ο Διόνυσος έγινε ο θεός του κρασιού. Τότε **αποφάσισε** να κάνει δώρο στους ανθρώπους το κλήμα, δηλαδή το φυτό που κάνει τα σταφύλια. Το μέρος όπου υπάρχουν πολλά κλήματα το λέμε **αμπέλι**, από το όνομα του Άμπελου.

Από τότε οι άνθρωποι πίνουν κρασί και στις λύπες και στις χαρές τους, θυμούνται τον Διόνυσο και ίσως γίνονται και αυτοί λίγο θεοί.

ΔΑΦΝΗ ΚΑΙ ΑΠΟΛΛΩΝΑΣ

Η Δάφνη ζούσε στα βουνά της Θεσσαλίας και ήταν **ιέρεια** της Μητέρας-Γης. Αυτή την όμορφη και νέα γυναίκα, που δεν κοιμήθηκε ποτέ με κανέναν άντρα, την ερωτεύτηκαν θεοί και άνθρωποι.

Την ερωτεύτηκε και ο θεός Απόλλωνας, που όμως ήξερε ότι την ήθελε και ένας άλλος άντρας, ο Λεύκιππος, ο γιος του Οινόμαου.

Ο Λεύκιππος ήταν τρελά ερωτευμένος με την ευγενική Δάφνη. Για να πάει κοντά της, λοιπόν, ντύθηκε κορίτσι και πήγε μαζί με τις φίλες της. Είπε στη Δάφνη πως ήταν η κόρη του Οινόμαου και για λίγο καιρό πήγαιναν μαζί στο δάσος και στο βουνό.

Ο θεός Απόλλωνας ζήλεψε τα παιχνίδια τους και αποφάσισε να κάνει κάτι. Είπε στις νύμφες να κάνουν μπάνιο χωρίς τα ρούχα τους. Φυσικά τότε η Δάφνη και οι φίλες της κατάλαβαν το **ψέμα** του Οινόμαου. Και θύμωσαν τόσο πολύ, που τον σκότωσαν.

Τώρα, χωρίς τον Οινόμαο, ο Απόλλωνας, ο νέος θεός με τα ξανθά μαλλιά, ήθελε τη Δάφνη ακόμα πιο πολύ, την ήθελε μόνο δική του. Αυτή όμως δεν ήθελε κανέναν άντρα κοντά της.

Μια μέρα ο Απόλλωνας είδε τη Δάφνη μόνη της και άρχισε να τρέχει πίσω της. Η Δάφνη όμως δεν τον ήθελε και έτρεξε μέσα στο δάσος. Πιο γρήγορος ο θεός, την έφτασε και την **έπιασε**. Η Γη άκουσε τις φωνές της **άτυχης** κοπέλας. Και ξαφνικά στη θέση της βγήκε ένα δέντρο. Ο Απόλλωνας **κρατούσε** στα χέρια του... φύλλα!

Ο ωραίος θεός δεν την ξέχασε ποτέ. Πάντα είχε στο κεφάλι του, πάνω στα ξανθά μαλλιά του, ένα **στεφάνι** από φύλλα **δάφνης.**

Η Πυθία, η ιέρεια του **μαντείου** των Δελφών, όταν είχε να πει κάτι, **μασούσε** φύλλα δάφνης. Ακόμα, οι αρχαίοι **στόλιζαν** με στεφάνια από δάφνη τους καλύτερους αθλητές, και, αργότερα, όλους τους ήρωες και τους καλούς **επιστήμονες**.

Όταν ο Πηλέας, γιος του βασιλιά της Αίγινας, σκότωσε τον αδερφό του Φώκο, έφυγε από το νησί. Πήγε στη Θεσσαλία και παντρεύτηκε την κόρη του Ευρυτίωνα, που ήταν βασιλιάς σε μια πόλη της Θεσσαλίας. Δυστυχώς, ο Πηλέας **σκότωσε** κατά λάθος στο **κυνήγι** τον Ευρυτίωνα κι έτσι έπρεπε να φύγει και από τη Θεσσαλία. Πήγε στην Ιωλκό και όταν έφυγαν από εκεί οι Αργοναύτες, πήγε μαζί τους. Μετά πήγε με τον Ηρακλή στον Τρωικό πόλεμο.

Η Θέτιδα, η θεά της θάλασσας, βοήθησε τους Αργοναύτες με την "Αργώ" όταν περνούσαν τις Συμπληγάδες Πέτρες. Ήταν η αγαπημένη της Ήρας. Η μεγάλη θεά την αγαπούσε σαν κόρη της, γιατί είχε πει "όχι" στον έρωτα του Δία. Η Θέτιδα ήταν μια δύσκολη γυναίκα, και δεν ήθελε ούτε τον Ποσειδώνα, που ήταν **ερωτευμένος** μαζί της, ούτε κανέναν άλλο θεό.

Όταν ο Πηλέας γύρισε από τον πόλεμο ήταν ένας ήρωας. Η ζωή του ήταν καλή και μια νύχτα με φεγγάρι έγινε καλύτερη. Ο σοφός Κένταυρος Χείρων, που ζούσε στο Πήλιο, ήταν πολύ καλός φίλος του Πηλέα. Του μίλησε για τη θεά της θάλασσας και του είπε πού να πάει να την βρει. Ο Χείρων ήξερε επίσης πως η Θέτιδα ήταν δύσκολη γυναίκα και με τους θεούς και με τους ανθρώπους. Έτσι, του έδωσε δύναμη για να μπορέσει να κρατήσει τη θεά.

Η Θέτιδα πήγαινε σε μια **σπηλιά** συνήθως μετά το μεσημεριανό μπάνιο της. Ο Πηλέας την περίμενε εκεί και, όταν η θεά μπήκε μέσα, την **έπιασε**. Η Θέτιδα για να ξεφύγει έγινε **φωτιά**, νερό, **λιοντάρι** και **φίδι**. Ο Πηλέας όμως ήταν έτοιμος για όλα και δεν την άφησε. Ακόμα και όταν έγινε μια πολύ μεγάλη **σουπιά**, δεν την άφησε από τα χέρια του. Ήταν **καμένος** και **βρεγμένος** αλλά η Θέτις ήταν ακόμα στα χέρια του. Στο τέλος, ο Πηλέας την φίλησε και πέρασαν όλο το βράδυ μαζί.

Μετά από λίγο καιρό παντρεύτηκαν. Έγινε μεγάλη γιορτή, έξω από τη **σπηλιά** του Χείρωνα στο Πήλιο, για τον γάμο του Πηλέα με τη θεά. Στον γάμο τραγούδησαν οι Μούσες και χόρεψαν πενήντα Νηρηίδες. Χόρεψαν και οι Κένταυροι μέσα στα δέντρα με **στεφάνια** στα κεφάλια τους. Πήγαν όλοι οι θεοί εκεί και όλοι είχαν δώρα για το νέο ζευγάρι: η Ήρα, ο Δίας, η Αθηνά, ο Ήφαιστος, ο Ποσειδώνας, η Αφροδίτη.

Η Θέτιδα και ο Πηλέας έκαναν ένα γιο, τον Αχιλλέα, που ήταν ημίθεος, δηλαδή μισός θεός και μισός άνθρωπος. Η μητέρα του τον έκανε μπάνιο στα νερά της **πηγής** Στύγας, σε μια άγρια περιοχή της Ελλάδας στην Αρκαδία κοντά στο βουνό Χελμός, για να γίνει **αθάνατος**. Όμως, η δεξιά του **φτέρνα,** από όπου τον κρατούσε η Θέτιδα, δεν μπήκε στο νερό και έτσι δεν έγινε θεός εκατό τα εκατό.

Στον γάμο του Πηλέα και της Θέτιδας, ενώ ήταν καλεσμένοι όλοι οι θεοί, δεν ήταν καλεσμένη η Έριδα, γιατί πάντα δημιουργούσε προβλήματα και οι θεοί δεν την ήθελαν μαζί τους.

Η Έριδα λοιπόν θύμωσε πολύ. Ήταν ένας γάμος όπου όλοι χόρευαν και έπιναν νέκταρ αλλά αυτή δεν ήταν εκεί; Ε, όχι! Κάτι έπρεπε να κάνει. **Έριξε** λοιπόν ένα μήλο. Το μήλο αυτό, δεν ήταν δώρο για τον γάμο. Το έριξε ανάμεσα στις θεές Αφροδίτη, Ήρα και Αθηνά που έπιναν νέκταρ και μιλούσαν μαζί χαρούμενες και αγαπημένες. Το έριξε για να το πάρει η ομορφότερη. Αλλά ποια ήταν η ομορφότερη, αλήθεια;

Ο Πάρης, από την Τροία, ήταν αυτός που αποφάσισε πως η πιο όμορφη ήταν η Αφροδίτη. Αυτή η απόφασή του όμως δεν άρεσε καθόλου στις άλλες δύο. Ήταν η αρχή για έναν μεγάλο πόλεμο, τον Τρωικό, που κράτησε δέκα χρόνια.

Ο Αχιλλέας, ίσως ο μεγαλύτερος ήρωας του Τρωικού πολέμου, πέθανε σ' αυτόν τον πόλεμο όταν ένα **βέλος** πήγε στη δεξιά φτέρνα του, που ήταν το μόνο αδύνατο σημείο του.

ΔΑΙΔΑΛΟΣ ΚΑΙ ΙΚΑΡΟΣ

Ο Αθηναίος **τεχνίτης** Δαίδαλος είχε πολλές ιδέες και ήταν πολύ καλός στις **κατασκευές**.

Λίγο μετά το 2000 π.Χ. ταξίδεψε στην Κρήτη και έμεινε στην Κνωσό, μια πόλη νοτιανατολικά από το Ηράκλειο. Εκεί, τον **φιλοξένησε** ο βασιλιάς Μίνωας - γιος του Δία και της Ευρώπης - με τη γυναίκα του και την κόρη τους, την Αριάδνη.

Στην Κνωσό ο Δαίδαλος γνώρισε τη Ναυκράτη και μαζί της έκανε ένα γιο, τον Ίκαρο. Εκεί έζησε ήσυχα και έφτιαξε τον Λαβύρινθο και άλλα έργα για τον βασιλιά. Ο Λαβύρινθος ήταν ένα **ανάκτορο** με πολλά δωμάτια και πολλούς **διαδρόμους**. Όποιος έμπαινε εκεί, δεν μπορούσε να βρει την έξοδο.

Κάποτε η Πασιφάη, η γυναίκα του Μίνωα, **ερωτεύτηκε** τον Αστέριο, τον λευκό ταύρο του Ποσειδώνα. Ζήτησε τη βοήθεια του Δαίδαλου, φυσικά κρυφά από τον Μίνωα. Ο Δαίδαλος έφτιαξε μια **ξύλινη αγελάδα**. Η Πασιφάη, έβαλε δέρμα αγελάδας πάνω στο ξύλινο ζώο και μπήκε μέσα σε αυτό. Από τον περίεργο αυτό έρωτα γεννήθηκε ο Μινώταυρος με σώμα ανθρώπου και κεφάλι **ταύρου**. Ο Μίνωας έβαλε αυτό το **τέρας** μέσα στον Λαβύρινθο.

Όταν ο βασιλιάς Μίνωας έμαθε πως ο Δαίδαλος είχε φτιάξει την ξύλινη αγελάδα για τη γυναίκα του, θύμωσε και έβαλε τον Δαίδαλο μαζί με τον Ίκαρο μέσα στον Λαβύρινθο. Η Πασιφάη τους βοήθησε να βγουν από τον Λαβύρινθο, όμως ήταν δύσκολο να φύγουν, γιατί παντού υπήρχαν άνθρωποι που ήταν έτοιμοι να τους πιάσουν.

Κρυφά ο Δαίδαλος πήρε φτερά από πουλιά, τα κόλλησε με **κερί**, και μετά τα κόλλησε πάλι με κερί πάνω στο γιο του και επάνω του κι έτσι ήταν έτοιμοι για το ταξίδι τους.

Ο Δαίδαλος είπε στον αγαπημένο του γιο να προσέχει και να μην **πετάει** πολύ κοντά στη θάλασσα, γιατί το νερό δεν ήταν καλό για τα φτερά τους. Του είπε ακόμα να μην πετάει κοντά στον ήλιο, γιατί η ζέστη ήταν κακή για το κερί.

Πέταξαν πάνω από τη Νάξο, τη Δήλο και την Πάρο. Όσοι τους έβλεπαν, νόμιζαν πως ήταν θεοί. Στα δεξιά τους ήταν η Κάλυμνος, όταν ο Ίκαρος, χαρούμενος που είχε φτερά και πετούσε, άρχισε να ανεβαίνει πολύ ψηλά. Μετά από λίγο, όταν ο Δαίδαλος κοίταξε πίσω του, δεν είδε τον Ίκαρο στον ουρανό, τον είδε στη θάλασσα. Ο Ίκαρος πέταξε πολύ κοντά στον ήλιο, το κερί **έλιωσε** από την πολλή ζέστη και ο νέος έπεσε στη θάλασσα. Ο Δαίδαλος έκλαψε πολύ. Άφησε το σώμα του γιου του στο νησί που ήταν εκεί κοντά και από τότε το νησί λέγεται Ικαρία και η θάλασσα γύρω από αυτό, Ικάριο Πέλαγος.

Ο Δαίδαλος μετά έζησε κοντά στη Νεάπολη της Ιταλίας και στη Σικελία, όπου έφτιαξε ναούς και αγάλματα.

ΠΕΡΣΕΑΣ ΚΑΙ ΑΝΔΡΟΜΕΔΑ

Η Ανδρομέδα ήταν κόρη του Κηφέα, βασιλιά της Αιθιοπίας, και της Κασσιόπειας. Η Κασσιόπεια κάποτε είπε πως ήταν πιο όμορφη από τις Νηρηίδες. Οι Νηρηίδες θύμωσαν πολύ και ο πατέρας τους ο Ποσειδώνας αποφάσισε να την τιμωρήσει. Έριξε πολύ δυνατές βροχές στην χώρα και ήθελε να στείλει ένα **τέρας** της θάλασσας να φάει τους ανθρώπους και τα ζώα της Αιθιοπίας. Ο βασιλιάς Κηφέας πήγε στο **μαντείο** και έμαθε πως για να σώσει τη χώρα του έπρεπε να **θυσιάσει** την κόρη του την Ανδρομέδα.

Πήγε λοιπόν με την κόρη του στην άκρη της θάλασσας, τη φίλησε για τελευταία φορά και την έδεσε σε έναν βράχο για να την πάρει το τέρας. Η Ανδρομέδα ήταν **γυμνή**, φορούσε μόνο μερικά **κοσμήματα**, και περίμενε το τέρας. Εκεί την είδε ο Περσέας και την ερωτεύτηκε αμέσως.

Ο Περσέας ήταν γιος του Δία και της Δανάης. Λένε πως ο Δίας έγινε χρυσή βροχή για να **αγγίξει** τη Δανάη. Ο πατέρας της όμως, ο Ακρίσιος, δεν πίστευε πως ο Δίας ήταν ο πατέρας του παιδιού. Νόμιζε πως αυτό ήταν ψέμα και πως ο Περσέας ήταν γιος του αδερφού του. Όμως δεν ήθελε να την σκοτώσει και για τιμωρία την έβαλε μαζί με τον γιο της τον Περσέα σε ένα μεγάλο **ξύλινο** κουτί και το **έριξε** στη θάλασσα. Το κουτί έφτασε στη Σέριφο, ένα νησί των Κυκλάδων, κι εκεί η Δανάη και ο Περσέας έζησαν στο **ανάκτορο** του βασιλιά του νησιού, Πολυδέκτη.

Ο Περσέας ήταν πια ένας νέος άντρας, όταν ο βασιλιάς ήθελε με τη **βία** να παντρευτεί τη μητέρα του Δανάη. Ο Περσέας προσπάθησε να τον εμποδίσει. Ο Πολυδέκτης έκανε πως άλλαξε γνώμη και είπε πως θα πάρει για γυναίκα του την Ιπποδάμεια. Ο Περσέας χάρηκε πολύ και του είπε πως θα του φέρει το κεφάλι της Γοργόνας Μέδουσας σαν δώρο για τον γάμο του.

Η Μέδουσα ήταν η μία από τις τρεις Γοργόνες. Ήταν πάρα πολύ άσχημη. Στο κεφάλι της δεν είχε μαλλιά αλλά φίδια. Τα δόντια της ήταν πολύ μεγάλα και τα μάτια της σκοτεινά και τρομακτικά. Κανένας ποτέ δεν κοίταζε αυτό το τέρας της θάλασσας. Οι άλλες δύο Γοργόνες, που ήταν αδελφές της, ήταν αθάνατες και δεν ήταν τόσο άσχημες. Ο Πολυδέκτης, όπως και όλος ο κόσμος, ήξερε πως, όποιος έβλεπε τη Μέδουσα, γινόταν πέτρα από τον φόβο του.

Η θεά Αθηνά έδωσε στον Περσέα μια **ασπίδα** και του είπε να την κάνει καθρέφτη για να δει το άσχημο πρόσωπο της Μέδουσας μέσα από αυτήν. Ο Ερμής του έδωσε ένα **σπαθί**, ένα ζευγάρι **σανδάλια** με φτερά και ένα **σακούλι** για να βάλει μέσα το κεφάλι.

Ο Περσέας πέταξε με τα σανδάλια στην Αφρική, πέρασε πάνω από το βουνό Άτλας και πήγε ακόμα πιο δυτικά. Εκεί ήταν η Μέδουσα και οι αδερφές της.

Ο Περσέας κράτησε τα μάτια του επάνω στην ασπίδα και η Αθηνά **οδήγησε** το χέρι του. Με το σπαθί του έκοψε το άσχημο κεφάλι. Από το σώμα της Μέδουσας **πήδηξε** ένα άλογο με φτερά. Ήταν ο Πήγασος, το παιδί της Μέδουσας και του Ποσειδώνα.

Ο Περσέας έβαλε το κεφάλι μέσα στο σακούλι. Ο Ερμής τον βοήθησε να το **κουβαλήσει**. Πέταξε πάνω από την **έρημο** της Λιβύης και σταμάτησε να ξεκουραστεί λίγο στην Αίγυπτο. Όταν ήταν έτοιμος πια να γυρίσει πίσω στη Σέριφο, είδε έναν βράχο μακριά μέσα στη θάλασσα. Πάνω του ήταν **δεμένη** μια γυμνή γυναίκα. Ήταν η Ανδρομέδα. Ο Περσέας μόλις την είδε την ερωτεύτηκε.

Πέταξε λοιπόν κοντά της και τότε είδε τον Κηφέα και την Κασσιόπεια, τους γονείς της Ανδρομέδας, να περιμένουν

ανήσυχοι. Του είπαν την ιστορία της και ο Περσέας απο-
φάσισε να σκοτώσει το τέρας και να πάρει την Ανδρομέδα
μαζί του στη Σέριφο. Μόλις βγήκε το τέρας από τη θάλασ-
σα, πήγε από πάνω του, ετοίμασε το σπαθί του, το κατέβα-
σε με δύναμη και του έκοψε το κεφάλι.

Ο Κηφέας και η Κασσιόπεια χάρηκαν που η κόρη τους
ήταν πια ελεύθερη αλλά δεν ήθελαν να τη δώσουν στον
Περσέα, ήθελαν να τη δώσουν σ' έναν βασιλιά. Ο Περσέας
και η Ανδρομέδα όμως ήθελαν να είναι μαζί. Γι' αυτό ο
Περσέας την πήρε και πέταξαν πίσω στη Σέριφο.

Εκεί βρήκε τον Πολυδέκτη με τους φίλους του να τρώνε
και να πίνουν. Του έδειξε το σακούλι και του είπε πως του
έφερε το δώρο του γάμου του με την Ιπποδάμεια. Ο
Πολυδέκτης γέλασε μαζί του, το ίδιο και οι φίλοι του. Του
απάντησε πως ήθελε τη μητέρα του και όχι την Ιππο-
δάμεια, και άρχισε να του μιλάει άσχημα. Ο Περσέας
θύμωσε με τον κακό χαρακτήρα του βασιλιά. Έβγαλε το
κεφάλι της Μέδουσας από το σακούλι, χωρίς ο ίδιος να το
κοιτάξει, και αμέσως Πολυδέκτης και όλοι οι φίλοι του έγι-
ναν πέτρες.

Ο Περσέας έδωσε τα σανδάλια και το σακούλι πίσω στον
Ερμή και το κεφάλι της Μέδουσας στην Αθηνά. Η θεά το
έβαλε στην ασπίδα της.

Η Αθηνά αργότερα έκανε ένα δώρο στην Ανδρομέδα για
να τη θυμούνται όλοι, επειδή έμεινε **πιστή** στον Περσέα.
Την έκανε αστέρι και την βλέπουμε ακόμα στον ουρανό.

ΙΠΠΟΛΥΤΗ ΚΑΙ ΗΡΑΚΛΗΣ

Στην Κεντρική Μικρά Ασία προς τον Εύξεινο Πόντο, στον ποταμό Θερμώδοντα της Καππαδοκίας, υπήρχε μια χώρα όπου ζούσαν μόνο γυναίκες. Τις γυναίκες αυτές τις έλεγαν Αμαζόνες. Αγαπούσαν πολύ τα άλογα και τον πόλεμο και ήταν πολύ **γενναίες**. Όπως λέει ο Παυσανίας, ακόμα και όταν έχαναν έναν πόλεμο, δεν έχαναν το θάρρος τους. Λένε πως πήγαιναν με άντρες μόνο δύο μήνες τον χρόνο και πως στα παιδιά τους έδιναν γάλα από θηλυκά άλογα. Φορούσαν δέρματα σκληρά από **φίδια** και είχαν για όπλα τους τον **λάβρυ** - τον διπλό **πέλεκυ** - και **τόξα** από **χαλκό**.

Η πρώτη βασίλισσά τους ήταν η Ιππολύτη και είχε στη μέση της μια χρυσή ζώνη, δώρο από τον θεό του πολέμου, τον Άρη. Αυτή η ζώνη δένει τον μεγάλο ήρωα Ηρακλή με την Ιππολύτη με έναν **μοιραίο** τρόπο.

Ο Ηρακλής έπρεπε να πάρει αυτή τη ζώνη, γιατί ήταν ο ένατος **άθλος** του. Πήρε λοιπόν ένα πλοίο μαζί με τον Πηλέα και τον Θησέα και πήγε στη χώρα των Αμαζόνων να ζητήσει τη ζώνη.

Όταν η Ιππολύτη είδε τον Ηρακλή, της άρεσε. Ο Ηρακλής της μίλησε καθαρά. Της είπε πως ήρθε σαν φίλος και ζητούσε τη ζώνη της για τον άθλο του. Η Ιππολύτη κατάλαβε αμέσως πως ήταν γενναίος και ήταν έτοιμη να του δώσει τη ζώνη χωρίς κανένα πρόβλημα.

Όμως για άλλη μια φορά κάποιος θεός αποφάσισε να αλλάξει τα πράγματα. Η θεά Ήρα ήθελε να κάνει κακό στον Ηρακλή, γιατί ήταν παιδί του Δία από τον έρωτά του με την Αλκμήνη. Έγινε λοιπόν Αμαζόνα και είπε **ψέματα** στις άλλες Αμαζόνες πως ο Ηρακλής ήθελε να πάρει τη βασίλισσά τους με τη **βία**. Τότε αυτές αμέσως ανέβηκαν στα άλογά τους και ήταν έτοιμες για πόλεμο. Ο Ηρακλής έπρεπε να αποφασίσει γρήγορα. Οι Αμαζόνες έτρεχαν θυμωμένες πάνω στα άλογα. Ο Ηρακλής σκέφτηκε πως η Ιππολύτη δεν ήθελε πια να του δώσει τη ζώνη. Χωρίς να χάσει χρόνο λοιπόν την σκότωσε και πήρε τη ζώνη. Σκότωσε και πολλές άλλες Αμαζόνες και ίσως γι' αυτό στον Τρωικό Πόλεμο οι Αμαζόνες πολέμησαν μαζί με τους Τρώες, γιατί ήταν πολύ θυμωμένες με τους Έλληνες.

ΜΙΔΑΣ

Στα πολύ παλιά χρόνια, περίπου στο τέλος της δεύτερης **χιλιετίας**, κοντά στο βουνό Βέρμιο της Μακεδονίας, ζούσε ένας πλούσιος βασιλιάς. Το όνομά του ήταν Μίδας. Ο Ηρόδοτος λέει πως ο Μίδας είχε έναν πολύ ωραίο κήπο με εκατοντάφυλλα - δηλαδή **ρόδα** με εκατό **φύλλα**. Ο Μίδας ήταν πολύ **φιλόξενος** βασιλιάς και, όταν ήταν νέος, ήταν και σοφός. Αργότερα όμως, άρχισε να σκέφτεται συνεχώς το **χρυσάφι**.

Κάποτε ο Σειληνός, δάσκαλος του Διόνυσου, ταξίδευε από τη Θράκη και πήγαινε στη Βοιωτία. Ήταν κουρασμένος από το ταξίδι και σταμάτησε για λίγο. Ήπιε λίγο κρασάκι και κοιμήθηκε στον κήπο του Μίδα μέσα στα λουλούδια. Εκεί τον βρήκε ο Μίδας και τον **φιλοξένησε** για δέκα μέρες όπως λέει ο Οβίδιος. Όσο ήταν εκεί, ο Σειληνός είπε στον Μίδα ιστορίες για ανθρώπους και μακρινές χώρες.

Όταν ο Διόνυσος έμαθε τα νέα από τον δάσκαλό του, χάρηκε τόσο που ρώτησε τον Μίδα τι δώρο θα ήθελε. Ο Μίδας είπε αμέσως: "Θέλω ό,τι **πιάνω** να γίνεται **χρυσάφι**". Δυστυχώς, έτσι κι έγινε! Τα λουλούδια, οι πέτρες, το τραπέζι, το ποτήρι, το νερό, το φαγητό του, ό,τι έπιανε - ακόμα και η κόρη του - γίνονταν **σκληρό** χρυσάφι, και φυσικά, δεν μπορούσε ούτε να φάει ούτε να πιει. Φοβήθηκε τόσο πολύ, που είπε στον Διόνυσο: "Είμαι δυστυχισμένος! Ό,τι πιάνω γίνεται χρυσάφι και είμαι πολύ πλούσιος, αλλά η ζωή μου δεν είναι ωραία και δεν μπορώ ούτε να φάω ούτε να πιω. Σε παρακαλώ, πες μου τι να κάνω;"

Ο θεός τότε του είπε να πάει στον ποταμό Πακτωλό, κοντά στο βουνό Τμώλος, να μπει στα νερά του ποταμού και όταν βγει, όλα θα είναι όπως πριν.

Έτσι ο Πακτωλός ποταμός έγινε πλούσιος σε χρυσάφι και, όπως έλεγαν οι άνθρωποι, ήταν από το χρυσάφι του Μίδα. Από τότε, όταν κάποιος έχει μια πολύ καλή δουλειά ή γη που είναι πολύ πλούσια λέμε ότι "αυτή η δουλειά είναι Πακτωλός" ή ότι "αυτή η γη είναι Πακτωλός".

Υπάρχει και μια άλλη ιστορία για τον Μίδα στο βιβλίο του Οβίδιου *Μεταμορφώσεις*. Κάποτε, λέει, ο Απόλλωνας, ο θεός της μουσικής, και ένας άλλος μικρότερος θεός, θεός του δάσους και μουσικός, ο Πάνας, έπαιξαν μουσική και ρώτησαν τον Μίδα ποιος ήταν καλύτερος. Ο Μίδας είπε πως καλύτερος μουσικός ήταν ο Πάνας.

Ο Απόλλωνας λοιπόν θύμωσε πολύ. Η τιμωρία του Μίδα ήταν και αστεία και **τραγική**. Ο Απόλλωνας του έδωσε αυτιά μεγάλα, πολύ μεγάλα, σαν τα αυτιά του **γαϊδάρου**! Ο βασιλιάς Μίδας δεν ήξερε τι να κάνει. Έβαλε ένα καπέλο που του έδωσε ο **κουρέας** του για να κρύψει τα μεγάλα του αυτιά, αλλά δεν ήταν καθόλου εύκολο. Και ο Μίδας ήταν πολύ δυστυχισμένος, γιατί όλοι γελούσαν μαζί του.

ΥΑΚΙΝΘΟΣ

Κάποτε, στην αρχαία Σπάρτη, ζούσε ένα όμορφο αγόρι που το αγαπούσαν όλοι. Το όνομά του ήταν Υάκινθος. Ο Απόλλωνας έκανε συχνά παρέα μαζί του. Πήγαιναν στο στάδιο και έπαιζαν ή **περπατούσαν** και μιλούσαν πολλές ώρες.

Ο Ζέφυρος, ένας άλλος θεός που το όνομά του σημαίνει "δυτικός άνεμος", ήταν ερωτευμένος με το όμορφο παλικάρι. Μάλιστα, κάποτε ήταν φίλοι αλλά από τότε που ο Απόλλωνας άρχισε να έρχεται στη Σπάρτη, ο Ζέφυρος **έχασε** τον Υάκινθο και γι' αυτό ήταν θυμωμένος μαζί του.

Μια μέρα ο Απόλλωνας και ο Υάκινθος πήγαν μαζί στο **στάδιο** για να **ρίξει** ο Απόλλωνας δίσκο. Όταν τους είδε ο Ζέφυρος, ζήλεψε πολύ. Δεν ήθελε να τους βλέπει να περνούν καλά μαζί. Σκέφτηκε λοιπόν ότι έπρεπε να κάνει κάτι.

Μέσα στο στάδιο ο Υάκινθος κοίταζε τον Απόλλωνα με προσοχή. Όταν ο Απόλλωνας έριξε τον δίσκο, ο Ζέφυρος φύσηξε δυνατά με όλη του τη δύναμη. Ο δίσκος πήγε σ' έναν βράχο, γύρισε και χτύπησε με δύναμη το κεφάλι του όμορφου νέου. Ο Υάκινθος έπεσε κάτω. Από το κεφάλι του έτρεχε αίμα. Το αγόρι δε ζούσε πια. Όλοι έκλαψαν γι' αυτόν. Τότε ο ίδιος ο Απόλλωνας άνοιξε έναν **λάκκο** στη γη και έβαλε τον αγαπημένο του μέσα για να μείνει εκεί για πάντα.

Εκεί που έτρεξε το αίμα του παλικαριού, βγήκε ένα όμορφο μοβ λουλούδι, ο **υάκινθος**. Το **άρωμά** του είναι ακόμα πιο δυνατό όταν φυσάει ο δυτικός άνεμος, Ζέφυρος.

ΣΕΙΡΙΟΣ

Στο δάσος του Μαραθώνα κάτω από το βουνό Πεντελικό, στην Αττική, ζούσε ο Ικάριος με την κόρη του την Ηριγόνη και τον σκύλο του.

Ήταν απλοί και **φιλόξενοι** άνθρωποι. Ο Ικάριος αγαπούσε τη γη και τα δέντρα και ήταν ο πρώτος άνθρωπος που έφτιαξε κρασί από το **κλήμα** που ο Διόνυσος έδωσε στους ανθρώπους.

Ήταν καλοκαίρι. Τρεις ξένοι ταξίδευαν στην Αττική. Έκανε πολύ ζέστη και το μεσημέρι σταμάτησαν έξω από το σπίτι του Ικάριου. Ο Ικάριος τους έβαλε στο σπίτι του με χαρά. Τους έδωσε φαγητό και κρασί. Δυστυχώς, ήπιαν δυνατό κρασί χωρίς νερό. Ο ένας από τους ξένους κοιμήθηκε αμέσως πολύ βαριά, ο άλλος νόμιζε ότι βλέπει τα πράγματα **διπλά**, και ο τρίτος, όταν είδε τους φίλους του έτσι, φοβήθηκε τόσο πολύ, που σκότωσε τον Ικάριο.

Οι ξένοι άντρες αποφάσισαν να **κρύψουν** το σώμα του Ικάριου. Βρήκαν μια τρύπα στη γη κοντά σ' ένα δέντρο και έβαλαν το σώμα του Ικάριου μέσα. Η Ηριγόνη δεν ήταν εκεί και δεν είδε τίποτα. Ο σκύλος όμως τα είδε όλα.

Αργότερα, η Ηριγόνη γύρισε στο σπίτι της και, φυσικά, δεν βρήκε ούτε τον πατέρα της, ούτε τον σκύλο. Άρχισε να ανησυχεί και ακριβώς τότε ήρθε ο σκύλος. Μα έκλαιγε. Η κόρη του Ικάριου **χάιδεψε** τον σκύλο. Εκείνος τότε την τράβηξε από τα ρούχα της έξω, και την πήγε στο δέντρο όπου ήταν ο Ικάριος. Η Ηριγόνη μόλις είδε τον πατέρα της νεκρό, πέθανε.

Ο σκύλος έμεινε εκεί, κοντά στους ανθρώπους του μέρα και νύχτα, χωρίς φαγητό και χωρίς νερό. Έμεινε εκεί, μέχρι που πέθανε.

Λίγες μέρες μετά, οι άνθρωποι που ζούσαν εκεί κοντά βρήκαν τα σώματά τους. Βρήκαν και τους τρεις ξένους και τους **τιμώρησαν**.

Για τον σκύλο που ήταν τόσο **πιστός** μέχρι την τελευταία στιγμή, αποφάσισαν να κάνουν κάτι ιδιαίτερο. Ονόμασαν "Μικρό Σκύλο" ή, αλλιώς, "Σείριο", το **αστέρι** που το καλοκαίρι είναι πιο κοντά στη Γη και που έχει το πιο δυνατό φως. Τις πολύ ζεστές μέρες και νύχτες του καλοκαιριού λοιπόν, ο Σείριος είναι το αστέρι που φαίνεται να είναι πολύ κοντά στη Γη. Τότε ακριβώς είναι έτοιμα και τα σταφύλια, λένε οι άνθρωποι.

ΚΕΝΤΑΥΡΟΙ

Στο όμορφο Πήλιο της Θεσσαλίας, στο **ακρωτήρι** Μαλέας της Πελοποννήσου και στα δάση της Αρκαδίας ζούσαν οι Κένταυροι. Οι Κένταυροι ήταν μισοί άνθρωποι και μισοί άλογα. Άνθρωποι από τη μέση και πάνω και άλογα από τη μέση και κάτω. Ο Όμηρος μάς λέει πως οι Κένταυροι ήταν **άγριοι**. Απ' ότι ξέρουμε, μόνο ο Φόλος και ο Χείρωνας ήταν σοφοί και αγαπητοί.

Ο Κένταυρος Χείρωνας ήταν γιος του Τιτάνα Κρόνου και της Φιλύρας. Ζούσε στο Πήλιο με τη μητέρα του, τη γυναίκα του νύμφη Χαρικλώ, που έλεγε το μέλλον, και τις κόρες του. Ήταν φιλόσοφος και πολύ καλός παιδαγωγός. Ήταν ο μεγάλος δάσκαλος πολλών θεών και ηρώων. Ο Πηλέας, ο Αχιλλέας, ο Ιάσονας, ο Ασκληπιός, ο Απόλλωνας, ο Διόνυσος, ο Πάτροκλος, ο Κάστορας και ο Πολυδεύκης ήταν μερικοί από τους μαθητές του.

Από όλους όμως τους μαθητές του Χείρωνα, αυτός που έγινε καλύτερος από τον μεγάλο δάσκαλο, ήταν ο Ασκληπιός. Ο Ασκληπιός, γιος του Απόλλωνα και της Κορωνίδας, μεγάλωσε κοντά στον Χείρωνα. Από αυτόν έμαθε την ιατρική και τα **βότανα,** κι έγινε διάσημος γιατρός. Ο Ασκληπιός έγινε τόσο καλός, ώστε κατάφερε να φέρει από τον κόσμο των νεκρών πολλούς ήρωες.

Ο Χείρωνας ήταν πολύ αγαπητός και στους ανθρώπους και στους ήρωες και στους θεούς. Ήταν φίλος του Πηλέα και φυσικά ήταν στο γάμο του με τη Θέτιδα. Λένε πως ο γάμος αυτός ήταν δική του ιδέα.

Ο Χείρωνας ήταν αθάνατος, όπως οι θεοί. Όμως κάποια στιγμή άλλαξαν τα πράγματα.

Κάποτε ο Κένταυρος Φόλος είχε κασλεσμένο τον Ηρακλή. Ήταν και ο Χείρωνας εκεί. Μαζί με το φαγητό λοιπόν, άνοιξε ένα παλιό κρασί, δώρο του θεού Διονύσου. Οι άλλοι Κένταυροι **μύρισαν** το κρασί κι έτρεξαν να το πάρουν. Έγινε μεγάλη μάχη. Ο Ηρακλής τους κυνήγησε και τους νίκησε.

Όμως στη **μάχη** αυτή ένα **βέλος** πήγε κατά λάθος στο πόδι του Χείρωνα. Η **πληγή** ήταν μεγάλη. Μέχρι τότε ο Χείρωνας είχε κάνει καλά πολλές πληγές, μεγάλες και μικρές. Με τη βοήθεια της γυναίκας του και των κοριτσιών του είχε δώσει δύναμη σε κουρασμένους και **πληγωμένους**. Στη φιλόξενη σπηλιά του είχε μεγαλώσει πολλούς ήρωες με την αγάπη του και τη σοφία του. Ήταν καλός πατέρας, αδερφός, φίλος, δάσκαλος και γιατρός για πολλά πολλά χρόνια. Όμως τώρα ήταν κουρασμένος πια κι αποφάσισε να πεθάνει και να δώσει τη δύναμη της **αιώνιας** ζωής στον Προμηθέα.

Ενώ η **φήμη** του σοφού δάσκαλου υπάρχει ακόμα παντού, κάποιες άλλες ιστορίες για τους Κενταύρους δείχνουν πως δεν ήταν όλοι σοφοί όπως ο Χείρωνας.

Για παράδειγμα, στο Πήλιο, ένας γάμος που έγινε ανάμεσα σε Κενταύρους και σε Λαπίθες, τελείωσε με πόλεμο. Στον γάμο αυτό οι Κένταυροι ήπιαν για πρώτη φορά πολύ κρασί, και μάλιστα χωρίς νερό, **μέθυσαν** και **άρπαξαν** τις γυναίκες των Λαπιθών. Στον γάμο ήταν και ο Θησέας. Όταν άρχισαν να **σκοτώνονται** μεταξύ τους, πολέμησε και ο Θησέας μαζί με τους Λαπίθες. Οι Κένταυροι έχασαν. Μετά από αυτό, οι δύο οικογένειες είχαν πάντα προβλήματα μεταξύ τους. Ο Πίνδαρος, πάντως, λέει πως πίσω από αυτή την έχθρα ήταν ο Άρης και η Έριδα.

Ένας άλλος Κένταυρος, ο Νέσσος, είναι πίσω από τον θάνατο του Ηρακλή. Στην Αιτωλοακαρνανία, ο Νέσσος με τη βάρκα του βοηθούσε αυτούς που ήθελαν να περάσουν τον ποταμό Εύηνο. Κάποτε ο Ηρακλής και η Δηιάνειρα, η γυναίκα του, που ταξίδευαν, ήθελαν κι αυτοί να περάσουν τον ποταμό. Ο Ηρακλής έβαλε τη γυναίκα του στη βάρκα και ο ίδιος κολύμπησε. Όταν είδε ο Νέσσος τη Δηιάνειρα μόνη μέσα στη βάρκα, προσπάθησε να τη φιλήσει. Αυτή φώναξε. Την άκουσε ο Ηρακλής και αμέσως του έριξε με το **τόξο** του ένα **βέλος**. Το βέλος πήγε στην καρδιά του Κένταυρου. Πεθαίνοντας ο Νέσσος, έδωσε στη Δηιάνειρα το αίμα του. Της είπε να **βρέξει** με αυτό τα ρούχα του Ηρακλή για να μείνει κοντά της, αν ποτέ ήθελε να πάει με άλλη γυναίκα. Όταν λοιπόν ο Ηρακλής αγάπησε την Ιόλη και ήθελε να ζήσει μαζί της, η Δηιάνειρα του έδωσε να βάλει ένα ρούχο με το αίμα του Κένταυρου. Μόλις ο Ηρακλής το έβαλε πάνω του, **κάηκε**. Η δυστυχισμένη Δηιάνειρα έχασε τον αγαπημένο της άντρα για πάντα. Αυτό ήταν και το τέλος του μεγάλου ήρωα.

Συνήθως, όμως, όταν μιλάμε για τους Κένταυρους, θυμόμαστε τον σοφό και αγαπητό Χείρωνα, γιατί ήταν ένας φιλόσοφος που έμαθε σε θεούς και ανθρώπους να είναι **γενναίοι** και δίκαιοι, να αγαπούν και να **προστατεύουν** τη ζωή.

VOCABULARY

αιώνιος eternal
αγελάδα, η cow
αγγίζω to touch
αγκαλιάζω to embrace
άγριος wild
αθάνατος immortal
άθλος, ο feat
ακρωτήρι, το cape
αμπέλι, το vineyard
ανάκτορο, το palace
ανθίζω to blossom
αποφασίζω to decide
αποφεύγω to avoid
αρπάζω to grab, to snatch
άρχοντας, ο lord
άρωμα, το perfume
ασπίδα, η shield
αστέρι, το star
ασυνήθιστος unusual
άτυχος unlucky
βέλος, το arrow
βία, η violence
βότανο, το herb
βράχος, ο rock
βρεγμένος wet
βρέχω to damp, to wet
γαϊδαρος, ο donkey
γενναίος brave
γυμνός naked
δαγκώνω to bite

δάσος, το forest
δάφνη, η bay leaf, laurel
δεμένος tied
διάδρομος, ο corridor
διασκεδάζω to have fun
δίδυμα, τα twins
διπλά double
εκλεκτός chosen
ελάφι το deer
έξω φρενών infuriated
επιστήμονας, ο scientist
έρημος, η desert
έρωτας, ο love
ερωτευμένος in love
ερωτεύομαι to fall in love
ζωντανός alive
θάβω to bury
θάρρος, το courage
θυσία, η sacrifice
θυσιάζω to sacrifice
ιέρεια, η priestess
ίριδα, η iris
καίγομαι to be burned
καμένος burnt
κατασκευή, η construction
κέρατο, το horn
κερί, το candle.
κλήμα, το vine
κοιτάζω to look at
κόσμημα, το jewel

κουβαλάω (-ώ) to carry
κουρέας, ο barber
κρατάω (-ώ) to hold
κριάρι, το ram
κρύβω to hide
κρυφά secretly
κυνήγι, το hunting
λάβρυς, ο double axe
λάκκος, ο hole (in the ground)
λίμνη, η lake
λιοντάρι, το lion
λιώνω to melt
λύνω to solve
λύρα, η lyre
μαντείο, το oracle
μασάω (-ώ) to chew
μάχη, η battle
μεγαλώνω to grow up
μεθάω (-ώ) to get drunk
μικροκαμωμένη little, small, petite
μύγα, η fly
μοιραίος fateful
μυρίζω to smell
νάρκισσος, ο daffodil
νεκρός dead
νικητής winner
νύμφη, η nymph
ξερός dry
ξύλινος wooden
οδηγώ to guide, to lead
οροσειρά mountain chain
παλεύω to wrestle
παράλια, τα shore
πέλεκυς, ο axe

περιπέτεια, η adventure
περπατάω (-ώ) to walk
πετάω (-ώ) to fly
πηγή, η spring
πηδάω (-ώ) to jump off
πληγή, η wound
πληγωμένος wounded
πιάνω to catch, to touch
ποτάμι, το river
προστατεύω to protect
ρίχνω to throw
ρόδο, το rose
σγουρομάλλης with curly hair
σακούλι, το sac, bag
σανδάλι, το sandal
σκληρός tough, hard
σκοτώνομαι to be killed
σκοτώνω to kill
σκύβω to bend
σουπιά, η cuttlefish
σπαθί, το sword
σπηλιά, η cave
στάδιο, το stadium
σταθερός stable
στεφάνι, το wreath
στολίζω to decorate
συμβουλεύω to advise
συμβουλή, η advice
σχέση, η relationship
σώζω (σώνω) to save
ταύρος, ο bull
τέρας, το monster
τεχνίτης, ο craftsman
τιμωρία, η punishment
τιμωρώ to punish

τόξο, το bow
τραγουδιστής, ο singer
τραγικός tragic
υάκινθος, ο hyacinth
υπόλοιπος rest
φήμη, η fame
φίδι, το snake
φιλόξενα with hospitality
φιλόξενος hospitable
φιλοξενώ to offer hospitality, to accomodate
φλογέρα, η, flute, pipe
φτέρνα, η heel
φυλάω to keep

φύλλο, το leaf
φωτιά, η fire
χαϊδεύω to caress
χαλκός, ο copper
χάνω to lose
χιλιετία, η millenium
χρυσάφι, το gold
χρυσόμαλλος blond
ψέμα, το lie

VOCABULAIRE

αγγίζω toucher
αγελάδα, η la vache
αγκαλιάζω embrasser
αθάνατος immortel
άθλος, ο l'exploit,
les travaux d'Hercule
ακρωτήρι, το le cap
αμπέλι, το la vigne
ανάκτορο, το le palais
ανθίζω fleurir
αποφασίζω décider
αποφεύγω éviter, éluder
αρπάζω attraper
άρχοντας, ο le seigneur
άρωμα, το le parfum
ασπίδα, η le bouclier
αστέρι, το l'étoile
ασυνήθιστος extraordinaire
άτυχος malheureux,
pauvre
βέλος, το la flèche
βία, η la violence
βότανο, το la herbe
βράχος, ο le rocher
βρεγμένος mouillé
βρέχω mouiller
γάιδαρος, ο l'âne
γενναίος brave, courageux
γυμνός nu
δαγκώνω mordre
δάσος, το la forêt
δάφνη, η le laurier

δαφνόφυλλο, το la feuille de
laurier
δεμένος attaché
διάδρομος, ο le couloir
διασκεδάζω s'amuser
δίδυμα, τα les jumeaux
διπλά double
εκλεκτός sélect
ελάφι, το le cerf
εξοχή, η la campagne
έξω φρενών furieux
επιστήμονας, ο savant
έρημος, η le desért
έρωτας, ο l'amour
ερωτευμένος amoureux
ζωντανός vivant
θάβω enterrer
θάρρος, το l'audace, le courage
θυσία, η le sacrifice
θυσιάζω sacrifier
ιέρεια, η la prêtresse
ίριδα, η l'iris
καίγομαι brûler
καμένος brûlé
κατασκευή, η la construction
κέρατο, το la corne
κερί, το la bougie
κλήμα, το la vigne
κοιτάζω regarder
κόσμημα, το le bijoux
κουβαλάω (-ώ) porter
κουρέας, ο le barbier
κρατάω (-ώ) tenir

κριάρι, το le bélier
κρύβω cacher
κρυφά secrètement
κυνήγι, το la chasse
λάβρυς, ο la double hache
λάκκος, ο la fosse, la tombe
λίμνη, η le lac
λιοντάρι, το le lion
λιώνω fondre
λύνω résoudre
λύρα, η la lyre
μαντείο, το l'oracle
μασάω (-ώ) mâcher
μάχη, η le combat
μεγαλώνω élever
μεθάω (-ώ) s'enivrer
μικροκαμωμένος mignon
μοιραίος fatal
μύγα, η la mouche
μυρίζω sentir
νάρκισσος, ο le narcisse
νεκρός, ο mort
νικητής, ο gagnant
νύμφη, η la nymphe
ξερός sec
ξύλινος en bois
οδηγώ guider
οροσειρά, η la chaîne de montagne
παλεύω lutter corps à corps
παράλια, τα les côtes
πέλεκυς, ο la hache
περιπέτεια, η l'aventure
περπατάω (-ώ) marcher
πετάω (-ώ) voler

πηγή, η la source
πληγή, η la blessure
πληγωμένος blessé
ποτάμι, το la rivière
πριόνι, το la scie
προστατεύω protéger
ρίχνω lancer
ρόδο, το la rose
σακούλι, το le sac, la poche
σανδάλι, το la sandale
σγουρομάλλης aux cheveux frisés
σχέση, η la relation, le rapport
σώζω (σώνω) sauver
ταύρος, ο le taureaux
τέρας, το le monstre
τεχνίτης, ο l'artisan
τιμωρία, η la punition
τόξο, το l'arc
τραγικός tragique
τραγουδιστής, ο le chanteur
τρυπάνι, το la chignole
υάκινθος, ο le jacinthe
υπόλοιπος le reste de
φήμη, η la réputation
φίδι, το le serpent
φιλόξενος hospitalier
φιλοξενώ offrir l'hospitalité
φλογέρα, η le pipeau
φτέρνα, η le talon
φυλάω (-ώ) garder
φύλλο, το la feuille
φωτιά, η le feu
χαϊδεύω carresser
χαλκός, ο le cuivre

47

χάνω perdre
χιλιετία, η la millénaire
χρυσάφι, το l'or
χρυσόμαλλο κριάρι, το la toison d' or

χρυσόμαλλος blond, blondin
ψέμα, το le mensonge

VOKABULAR

αιώνιος ewig
αγελάδα, η die Kuh
αγγίζω berühren
αγκαλιάζω umarmen
άγριος wild
αθάνατος unsterblich
άθλος, ο das Riesenwerk, schwere Arbeit
ακρωτήρι, το der Kap
αμπέλι, το der Weinberg
ανάκτορο, το der Palast
ανθίζω blühen
αποφασίζω sich entschließen
αποφεύγω vermeiden
αρπάζω schnappen
άρχοντας, ο der Herr
άρωμα, το das Parfüm, der Duft
ασπίδα, η der Schild
αστέρι, το der Stern
ασυνήθιστος ungewöhnlich
άτυχος Pech haben
βέλος, το der Pfeil
βία, η die Gewalt
βότανο, το das Kraut
βράχος, ο der Fels
βρεγμένος nass
βρέχω anfeuchten
γαϊδαρος, ο der Esel
γενναίος mutig
γυμνός nackt
δαγκώνω beißen

δάσος, το der Wald
δάφνη, η das Lorbeerblatt, der Lorbeer
δεμένος gebunden
διάδρομος, ο der Gang, der Korridor
διασκεδάζω sich amüsieren
δίδυμα, τα die Zwillinge
διπλά doppelt
εκλεκτός erwählt
ελάφι, το der Hirsch, das Reh
έξω φρενών außer sich
επιστήμονας, ο der Wissenschaftler
έρημος, η die Wüste
έρωτας, ο die Liebe
ερωτευμένος verliebt
ερωτεύομαι sich verlieben
ζωντανός lebendig
θάβω begraben
θάρρος, το der Mut, die Courage
θυσία, η das Opfer
θυσιάζω opfern
ιέρεια, η die Priesterin
ίριδα, η die Iris, die Regenbogenhaut
καίγομαι sich verbrennen
καμένος verbrannt
κατασκευή, η die Konstruktion
κέρατο, το das Horn

κερί, το Die Kerze
κλήμα, το die Weinrebe
κοιτάζω anschauen
κόσμημα, το das Schmuckstück
κουβαλάω (-ώ) tragen
κουρέας, ο der Barbier
κρατώ (-ώ) halten
κριάρι, το der Widder
κρύβω verstecken
κρυφά heimlich
κυνήγι, το die Jagd
λάβρυς, ο die Doppelaxt
λάκκος, ο das Loch
λίμνη, η der See
λιοντάρι, το der Löwe
λιώνω verschmelzen
λύνω lösen
λύρα, η die Leier
μαντείο, το das Orakel
μασάω (-ώ) kauen
μάχη, η der Kampf
μεγαλώνω wachsen
μεθάω (-ώ) sich betrinken
μικροκαμωμένη kleinwüchsig
μύγα, η die Fliege
μοιραίος fatal
μυρίζω riechen
νάρκισσος, ο die Narzissblume
νεκρός tot
νικητής der Sieger
νύμφη, η die Nymphe
ξερός trocken
ξύλινος hölzern

οδηγώ führen
οροσειρά die Bergkette
παλεύω ringen
παράλια, τα das Ufer
πέλεκυς, ο die Axt
περιπέτεια, η das Abenteuer
περπατάω (-ώ) gehen, laufen
πετάω (-ώ) fliegen
πηγή, η die Quelle
πηδώ springen
πληγή, η die Wunde
πληγωμένος verwundet
πιάνω halten
ποτάμι, το der Fluss
προστατεύω beschützen
ρίχνω werfen
ρόδο, το die Rose
σγουραμάλλης mit gelocktem Haar
σακούλι, το der Beutel
σανδάλι, το die Sandale
σκληρός hart
σκοτώνομαι getötet werden
σκοτώνω töten
σκύβω sich beugen
σουπιά, η der Tintenfisch
σπαθί, το das Schwert
σπηλιά, η die Höhle
στάδιο, το das Stadion
σταθερός stabil
στεφάνι, το der Kranz
στολίζω schmücken
συμβουλεύω raten, beraten
συμβουλή, η der Rat
σχέση, η die Beziehung

σώζω (σώνω) retten
ταύρος, ο der Stier
τέρας, το das Ungeheuer
τεχνίτης, ο der Handwerker
τιμωρία, η die Strafe
τιμωρώ bestrafen
τόξο, το der Bogen
τραγουδιστής, ο der Sänger
τραγικός tragisch
υάκινθος, ο Hyazinth
υπόλοιπος der Rest,
der/die/das übrige
φήμη, η der Ruhm
φίδι, το die Schlange
φιλόξενα mit
Gastfreundlichkeit
φιλόξενος gastfreundlich

φιλοξενώ Unterkunft anbieten,
unterbringen, beherbergen
φλογέρα, η, die Flöte
φτέρνα, η die Ferse
φυλάω (-ώ) aufbewahren
φύλλο, το das Blatt
φωτιά, η das Feuer
χαϊδεύω streicheln
χαλκός, ο die Bronze
χάνω verlieren
χιλιετία, η das Jahrtausend
χρυσάφι, το das Gold
χρυσόμαλλος goldhaarig
ψέμα, το die Lüge

ΟΡΦΕΑΣ ΚΑΙ ΕΥΡΥΔΙΚΗ

1. Ποιοι ήταν οι γονείς του Ορφέα;
2. Γιατί ήταν γνωστός ο Ορφέας;
3. Ποια ήταν η γυναίκα του;
4. Τι την δάγκωσε και πέθανε;
5. Όταν κάποιος πέθαινε, πού πήγαινε;
6. Πού πήγε ο Ορφέας να βρει την γυναίκα του;
7. Μπορούσε να πάει στον Κόσμο των Νεκρών ένας ζωντανός;
8. Τι άκουσαν τα τέρατα που φύλαγαν την είσοδο του ποταμού;
9. Ποιοι ήταν οι άρχοντες του Κάτω Κόσμου και τι αποφάσισαν;
10. Γιατί η Ευρυδίκη έφυγε για πάντα;
11. Τι έγινε η λύρα του όταν πέθανε;
12. Όταν πέθανε ο Ορφέας πού πήγε η ψυχή του και γιατί;

ΚΑΔΜΟΣ ΚΑΙ ΑΡΜΟΝΙΑ

1. Ποιος ήταν ο Κάδμος;
2. Ποια ήταν η αδερφή του Κάδμου;
3. Ποια ήταν η Αρμονία;
4. Γιατί ο Κάδμος έφυγε από τη Σιδώνα;
5. Τι πήρε μαζί του;
6. Γιατί ο Τυφώνας πήρε τον κεραυνό από τον Δία;

7. Όταν οι θεοί του Ολύμπου έμαθαν πως ο Δίας ήταν κλεισμένος σε μια σπηλιά, τι έκαναν;
8. Ο Τυφώνας άκουγε συχνά μουσική;
9. Σε τι ζώο μεταμορφώθηκε ο Δίας, όταν πήγε στον Κάδμο;
10. Τι δώρο έκανε ο Δίας στον Κάδμο;
11. Πού έγινε ο γάμος του Κάδμου και της Αρμονίας;
12. Ποιοι ήταν στον γάμο και γιατί;

ΦΡΙΞΟΣ ΚΑΙ ΕΛΛΗ

1. Ποια ήταν η μητέρα και ποιος ο πατέρας του Φρίξου και της Έλλης;
2. Ποια ήταν η Ινώ;
3. Ήταν ευτυχισμένη;
4. Τι πρόβλημα είχε η γη και ο βασιλιάς χρειάστηκε τη βοήθεια της Πυθίας;
5. Γιατί είχε αυτό το πρόβλημα η γη;
6. Ξέρουμε ποια λύση έδωσε η Πυθία;
7. Τι έμαθε ο βασιλιάς;
8. Τι ήταν το χρυσόμαλλο δέρας;
10. Τα παιδιά ανέβηκαν στο κριάρι και πέταξαν πού;
11. Πώς ονομάστηκε η θάλασσα όπου έπεσε η Έλλη;
12. Τι έκανε το αγόρι όταν έφτασε στην Κολχίδα;
13. Ποιοι προσπάθησαν μετά από χρόνια να βρουν το δέρμα από το χρυσόμαλλο κριάρι;

ΛΗΤΩ ΚΑΙ ΝΙΟΒΗ

1. Ποιοι ήταν οι γονείς της Λητώς;
2. Γιατί ήταν θυμωμένη η Ήρα;
3. Υπήρχε κάποια πόλη ή κάποιο νησί που δεν φοβήθηκε την Ήρα;
4. Ποια ήταν τα παιδιά της Λητώς;
5. Ποια ήταν η Νιόβη και πόσα παιδιά είχε;
6. Γιατί θύμωσε τόσο πολύ η Λητώ με τη φίλη της τη Νιόβη;
7. Πού πήγε η Νιόβη, όταν έμεινε μόνη;
8. Εκεί που πήγε η Νιόβη, υπάρχει ένας βράχος που βγάζει νερό. Τι λέει ο κόσμος γι' αυτό;

ΝΑΡΚΙΣΣΟΣ ΚΑΙ ΗΧΩ

1. Ποιος ήταν ο Νάρκισσος;
2. Ποια ήταν η Ηχώ;
3. Γιατί την τιμώρησε η Ήρα;
4. Ποια ήταν η τιμωρία της;
5. Με ποιον ήταν ερωτευμένη η Ηχώ;
6. Με ποιον ήταν ερωτευμένος ο Νάρκισσος;
7. Τι έκανε ο Νάρκισσος όταν έμαθε για τον έρωτα της Ηχώς;
8. Ποιον είδε στα νερά της λίμνης ο Νάρκισσος;
9. Τι προσπάθησε να κάνει;
10. Ποια ήταν η τιμωρία του Νάρκισσου;
11. Ξέρετε το λουλούδι «νάρκισσος»;

ΑΜΠΕΛΟΣ ΚΑΙ ΔΙΟΝΥΣΟΣ

1. Ποιος ήταν ο Διόνυσος;
2. Ποιος ήταν ο πρώτος μεγάλος του έρωτας;
3. Ο Άμπελος είχε φίλους τα ζώα ή μήπως φοβόταν κάποια από αυτά;
4. Γιατί η Σελήνη έστειλε τη μύγα στον ταύρο;
5. Τι έκανε ο ταύρος τότε;
6. Τι έγινε όταν έπεσε ο Άμπελος;
7. Γιατί ο Διόνυσος δεν μπορούσε να κλάψει για τον φίλο του;
8. Ποιο ήταν το δώρο του Διόνυσου στους ανθρώπους;
9. Σας αρέσει να πίνετε κρασί κάπου κάπου;

ΔΑΦΝΗ ΚΑΙ ΑΠΟΛΛΩΝΑΣ

1. Ποια ήταν η Δάφνη;
2. Ποιος θεός την ερωτεύτηκε;
3. Ποιος ήταν ο Λεύκιππος
4. Τι έκανε για να είναι μαζί με τη Δάφνη;
5. Τι έκανε ο Απόλλωνας για να μην είναι ο Λεύκιππος μαζί με τη Δάφνη;
6. Όταν οι φίλες της Δάφνης κατάλαβαν το ψέμα του Λεύκιππου, τι έκαναν;
7. Με ποιον ήταν ερωτευμένη η Δάφνη;
8. Γιατί έτρεχε πίσω της ο Απόλλωνας;
9. Ποιος άκουσε τις φωνές της κοπέλας;
10. Τι έγινε όταν φώναξε η Δάφνη;
11. Τι κρατούσε στα χέρια του ο Απόλλωνας;
12. Πώς είχε πάντα μαζί του ο Απόλλωνας τη Δάφνη;

ΘΕΤΙΔΑ ΚΑΙ ΠΗΛΕΑΣ

1. Ποιος ήταν ο Πηλέας;
2. Όταν γύρισε από τον Τρωικό πόλεμο, πώς ήταν η ζωή του;
3. Είχε έναν πολύ καλό φίλο. Ποιος ήταν αυτός;
4. Ποια ήταν η Θέτιδα;
5. Γιατί η Θέτιδα δεν ήταν παντρεμένη;
6. Ποιος μίλησε στον Πηλέα για τη Θέτιδα;
7. Τι έκανε η Θέτιδα, όταν είδε τον Πηλέα στη σπηλιά;
8. Ο Πηλέας, γιατί ήταν έτοιμος για όλα;
9. Πού έγινε η γιορτή για τον γάμο τους;
10. Ποιοι ήταν εκεί;
11. Ποια θεά δεν ήταν εκεί;
12. Τι έκανε για να χαλάσει την όμορφη ατμόσφαιρα της γιορτής;
13. Ποιος αποφάσισε για το μήλο;
14. Η απόφαση αυτή έφερε κάποιον πόλεμο. Ποιον;
15. Ποιος ήταν ο γιος του Πηλέα και της Θέτιδας;
16. Τι σημαίνει η λέξη «ημίθεος»;
17. Γιατί ο Αχιλλέας ήταν ημίθεος;
18. Από πού τον κράτησε η μητέρα του, όταν τον έκανε μπάνιο στα νερά της Στύγας;
19. Πώς πέθανε ο Αχιλλέας;

ΔΑΙΔΑΛΟΣ ΚΑΙ ΙΚΑΡΟΣ

1. Τι ήταν ο Δαίδαλος;
2. Ποιος ήταν ο Μίνωας;
3. Σε ποιο νησί βρίσκεται η Κνωσός;
4. Ποια ήταν η γυναίκα του Δαίδαλου και πώς έλεγαν τον γιο τους;
5. Τι ήταν ο Λαβύρινθος;
6. Ποια ήταν η Πασιφάη;
7. Ποιον ερωτεύτηκε;
8. Πώς τη βοήθησε ο Δαίδαλος;
10. Ποιος γεννήθηκε από αυτόν τον έρωτα;
11. Τι έκανε ο Μίνωας στον Δαίδαλο και τον Ίκαρο, όταν έμαθε για την ξύλινη αγελάδα;
12. Τι έκανε ο Δαίδαλος για να φύγουν χωρίς να τους πιάσουν;
13. Με τι κόλλησε ο Δαίδαλος τα φτερά;
14. Γιατί όταν πετούσαν δεν έπρεπε να είναι πολύ κοντά στη θάλασσα ή στον ήλιο;
15. Γιατί άρχισε να πετάει πολύ κοντά στον ήλιο ο Ίκαρος;
16. Πού ήταν ο Ίκαρος όταν κοίταξε πίσω του ο Δαίδαλος για να τον δει;
17. Ο Δαίδαλος άφησε το σώμα του Ίκαρου σε ένα νησί. Πώς λέγεται αυτό το νησί;
18. Πώς λέγεται η θάλασσα γύρω από αυτό το νησί;
19. Πού πήγε ο Δαίδαλος μετά και τι έκανε;

ΠΕΡΣΕΑΣ ΚΑΙ ΑΝΔΡΟΜΕΔΑ

1. Ποια ήταν η Ανδρομέδα;
2. Γιατί θύμωσαν οι Νηρηίδες και ο Ποσειδώνας;
3. Τι έπρεπε να κάνει ο βασιλιάς;
4. Πού πήγε ο βασιλιάς Κηφέας την κόρη του; Γιατί;
5. Ποιος την είδε και την ερωτεύτηκε αμέσως;
6. Ποιος ήταν ο Περσέας;
7. Γιατί ο Ακρίσιος έβαλε τον Περσέα και τη Δανάη σε ένα κουτί;
8. Πού έφτασε το κουτί και ποιος ήταν βασιλιάς εκεί;
9. Ποιαν ήθελε να παντρευτεί ο Πολυδέκτης με τη βία;
10. Μπορείτε να περιγράψετε τη Μέδουσα;
11. Ποιοι βοήθησαν τον Περσέα; Πώς;
12. Τι ακριβώς έπρεπε να κάνει με την ασπίδα ο Περσέας για να μην γίνει πέτρα;
13. Πού πήγε ο Περσέας για να ξεκουραστεί, όταν τελείωσε με τη Μέδουσα;
14. Γιατί οι γονείς της Ανδρομέδας δεν ήθελαν να πάρει ο Περσέας την κόρη τους;
15. Τι έκανε ο βασιλιάς Πολυδέκτης, όταν γύρισε πίσω ο Περσέας;
16. Τι έκανε ο Περσέας;
17. Πού βρίσκεται το κεφάλι της Μέδουσας;
18. Πού λένε ότι βρίσκεται η Ανδρομέδα;

ΙΠΠΟΛΥΤΗ ΚΑΙ ΗΡΑΚΛΗΣ

1. Πού ζούσαν οι Αμαζόνες;
2. Υπήρχαν άντρες σε αυτή τη χώρα;
3. Τι αγαπούσαν πολύ οι Αμαζόνες;
4. Τι έδιναν στα παιδιά τους;
5. Τι ρούχα και τι όπλα είχαν;
6. Ποια ήταν η βασίλισσά τους;
7. Τι είχε στη μέση της;
8. Τι ζήτησε ο Ηρακλής από την Ιππολύτη και γιατί;
9. Τι είπε η Ιππολύτη;
10. Ποιος θεός ήθελε να αλλάξει τα πράγματα; Γιατί;
11. Τι είπε στις άλλες Αμαζόνες και τι έκαναν αυτές;
12. Τι σκέφτηκε ο Ηρακλής, όταν είδε τις Αμαζόνες να τρέχουν πάνω στα άλογά τους, και τι έκανε;
13. Οι Αμαζόνες πολέμησαν μαζί με τους Τρώες στον Τρωικό πόλεμο. Γιατί;

ΜΙΔΑΣ

1. Ποιος ήταν ο Μίδας;
2. Τι είχε στον κήπο του;
3. Ποιος ήταν ο Σειληνός;
4. Τι έκανε στον κήπο του Μίδα;
5. Τι έκανε ο Σειληνός, όταν ήταν στο σπίτι του Μίδα;
6. Τι δώρο ζήτησε ο Μίδας από τον Διόνυσο;
7. Του άρεσε η καινούργια του ζωή;

8. Σε ποιον ποταμό έκανε μπάνιο ο Μίδας;

9. Όταν λέμε ότι κάτι είναι «πακτωλός», τι σημαίνει;

10. Τι ήταν ο Πάνας;

11. Όταν ο Απόλλωνας και ο Πάνας έπαιξαν μουσική, ρώτησαν τον Μίδα ποιος ήταν καλύτερος μουσικός. Τι είπε ο Μίδας;

12. Ποια ήταν η τιμωρία του Μίδα;

ΥΑΚΙΝΘΟΣ

1. Πού ζούσε ο Υάκινθος;

2. Με ποιον έκανε παρέα;

3. Τι σημαίνει η λέξη «ζέφυρος»;

4. Ποιος ήταν ο Ζέφυρος;

5. Γιατί σταμάτησαν να είναι φίλοι ο Υάκινθος και ο Ζέφυρος;

6. Τι έκανε ο Απόλλωνας μέσα στο στάδιο;

7. Τι έκανε ο Ζέφυρος επειδή ζήλευε; Πώς χτύπησε ο δίσκος το κεφάλι του Υάκινθου;

9. Τι έγινε εκεί που έπεσε το αίμα του;

10. Έχετε δει υάκινθο;

11. Με ποιον άνεμο γίνεται ακόμα πιο δυνατό το άρωμα του υάκινθου;

ΣΕΙΡΙΟΣ

1. Πού ζούσαν ο Ικάριος, η Ηριγόνη και ο σκύλος τους;
2. Τι άνθρωποι ήταν;
3. Τι αγαπούσε ο Ικάριος;
4. Τι έκανε ο Ικάριος, όταν είδε στην πόρτα του τους ξένους άντρες;
5. Τι έγινε όταν οι ξένοι έφαγαν και ήπιαν δυνατό κρασί;
6. Γιατί ο τρίτος άντρας σκότωσε τον φιλόξενο Ικάριο;
7. Τι έκαναν οι άντρες μετά;
8. Η Ηριγόνη ήταν εκεί;
9. Ποιος τα είδε όλα;
10. Γιατί όταν η Ηριγόνη γύρισε στο σπίτι, άρχισε να ανησυχεί;
11. Πού πήγε την Ηριγόνη ο σκύλος τραβώντας την από τα ρούχα;
12. Τι έγινε όταν η κοπέλα είδε το σώμα του πατέρα της;
13. Τι έκανε ο σκύλος;
14. Τι έκαναν οι άνθρωποι που ζούσαν εκεί κοντά;
15. Τι αποφάσισαν να κάνουν για να θυμούνται τον πιστό σκύλο;
16. Ποιος είναι ο Σείριος;
17. Έχετε δει ποτέ αυτό το αστέρι;

ΚΕΝΤΑΥΡΟΙ

1. Τι ήταν οι Κένταυροι; Πού ζούσαν;
2. Τι χαρακτήρα είχαν συνήθως;
3. Ποιοι ήταν οι δύο σοφοί και αγαπητοί Κένταυροι;
4. Ποιος ήταν ο Χείρωνας; Πού ζούσε;
5. Τι ήταν ο Χείρωνας;
6. Ποιοι ήταν μαθητές του;
7. Ποιος μαθητής του έγινε διάσημος γιατρός;
8. Ποιος γάμος ίσως ήταν ιδέα του Χείρωνα;
9. Όταν ο Φόλος, ο Ηρακλής και ο Χείρωνας έτρωγαν και έπιναν μαζί, οι άλλοι Κένταυροι μύρισαν κάτι και έτρεξαν εκεί. Τι μύρισαν;
10. Στη μάχη που έγινε μετά ποιος νίκησε;
11. Ποιος είχε μια μεγάλη πληγή;
12. Γιατί αποφάσισε να πεθάνει ο Χείρωνας;
13. Πώς τελείωσε ένας γάμος που έγινε ανάμεσα σε Κενταύρους και Λαπίθες; Γιατί;
14. Τι ήταν ο Νέσσος;
15. Τι έκανε με τη βάρκα του;
16. Πού είναι ο ποταμός Εύηνος;
17. Τι ήθελαν να κάνουν ο Ηρακλής και η γυναίκα του, όταν έφτασαν στον ποταμό;
18. Τι έκανε ο Ηρακλής
19. Γιατί φώναξε η Δηιάνειρα;
20. Πού πήγε το βέλος που έριξε ο Ηρακλής;
21. Τι έκανε ο Νέσσος πριν πεθάνει;
22. Πώς θα ήταν χρήσιμο το αίμα του στη Δηιάνειρα;
23. Ο Ηρακλής αγάπησε και μια άλλη γυναίκα εκτός από τη Δηιάνειρα. Ποια ήταν αυτή;
24. Πώς πέθανε ο Ηρακλής;

ΒΙΒΛΙΟΓΡΑΦΙΑ

- Βλάχος, Άγγελος, *Το Δωδεκάθεο*,
  Εκδόσεις Ωκεανίδα, Αθήνα 1999

- Γκρέιβς, Ρόμπερτ, *Οι Ελληνικοί Μύθοι*, Εκδόσεις Κάκτος,
  Αθήνα 1998

- Καλάσσο, Ρομπέρτ, *Οι γάμοι του Κάδμου και της Αρμονίας*,
  Εκδόσεις Γνώση, Αθήνα 1993

- Κερένυι Κ., *Η Μυθολογία των Ελλήνων*,
  Εκδόσεις Εστία, Αθήνα 1998

- Πάτση-Γκαρέν, Έμμυ, *Επίτομο Λεξικό Ελληνικής Μυθολογίας*,
  Εκδόσεις Χάρη Πάτση, 1969

- *Οι Μύθοι των Λουλουδιών*,
  Εκδόσεις Στρατίκη, 1991